3 Mystérieuses héritières

Scénario : *Audrey Alwett*

Dessin : *Nora Moretti*

Couleurs : *Claudia Boccato*

Blackberry

Miss Minchin est la directrice du pensionnat londonien dans lequel Sara Crewe a été envoyée pour parfaire son éducation. C'est une femme froide et aigrie. Dans un premier temps, elle se forcera à supporter son élève vedette, car Sara apporte du cachet à son établissement. Mais elle ne lui pardonnera jamais sa fierté et cherchera à la briser par tous les moyens.

Toujours dans les jambes de Sara, Lottie est trop jeune pour comprendre les événements qui bouleversent la vie de sa « mère adoptive ». Mais du haut de son jeune âge, elle l'aime envers et contre tout. Ermengarde est quant à elle l'amie intime de Sara. Elle est cependant percluse de complexes, et garde un sentiment d'infériorité vis-à-vis de celle qu'on appelait la Princesse du pensionnat.

Sara est la fille unique du capitaine Ralph Crewe. Celui-ci la gâtait comme une princesse, avant de se ruiner dans des mines de diamants qu'un ami lui avait pourtant recommandées. De paludisme et d'ennuis d'argent combinés, le capitaine meurt en Inde, tandis que sa fille désargentée doit faire face à un nouveau destin.

Lavinia était l'élève la plus considérée de l'école avant l'arrivée de Sara. Elle vit très mal d'avoir été détrônée et garde une solide rancune envers Sara. Et si elle pouvait trouver des occasions de lui nuire, eh bien cette bêcheuse l'aurait mérité, n'est-ce pas ?

Fille de cuisine du pensionnat, Becky n'a connu que les ordres et les insultes sa vie durant. Quand Sara lui ouvre la porte d'une amitié qu'elle croyait inaccessible, un monde nouveau naît pour Becky. En retour, elle se montrera d'une fidélité indéfectible pour Sara.

J'ÉTAIS À PARIS OÙ JE VIVAIS MA DERNIÈRE ANNÉE AU PENSIONNAT, QUAND J'AI APPRIS LA MORT DE MON PÈRE, ET SA RUINE.

PAR CHANCE, MA DIRECTRICE DE PENSIONNAT, QUI M'AIMAIT COMME SA FILLE, M'A RAPIDEMENT TROUVÉ UNE PLACE AUPRÈS D'AMIS À ELLE.

MA PAUVRE FILLE, VOUS N'ÊTES PAS BIEN BRILLANTE. LE POSTE EST MAL PAYÉ MAIS AU VU DE VOS PIÈTRES COMPÉTENCES, N'ESPÉREZ PAS TROUVER MIEUX.

C'EST AINSI QUE J'AI DÉCOUVERT MA NOUVELLE FAMILLE. NOUS SOMMES IMMÉDIATEMENT PARTIS POUR LA RUSSIE, ET JE DOIS DIRE QUE CE VOYAGE NOUS A BEAUCOUP RAPPROCHÉS.

ENFIN DOROTHY, QU'IMAGINEZ-VOUS ! VOUS DORMIREZ PARMI LES BAGAGES, C'EST BIEN ASSEZ POUR VOUS !

J'ÉTAIS À MOSCOU DEPUIS SIX MOIS QUAND J'AI REÇU UNE LETTRE DE MA DIRECTRICE DE PENSION M'INFORMANT QUE MA FORTUNE AVAIT ÉTÉ RETROUVÉE.

Il est possible que tu ne sois pas la jeune fille que recherche M. Carmichael. Mais ne prononçons pas ton nom de la même manière, mais peut-on se fier à l'accent de les anglais ?
La fortune dont il m'a parlé est digne d'une princesse, aussi, je ne saurais trop te conseiller de te faire passer pour telle. J'ose par ailleurs espérer que tu ne manqueras pas de me manifester ta reconnaissance dès que tu auras recouvré à ton bien...

ET C'EST AINSI QUE NOUS AVONS PU ENTAMER LA CORRESPONDANCE QUI VOUS A MENÉ JUSQU'À MOSCOU, MISTER CARMICHAEL !

JE VAIS FAIRE EN SORTE DE TRAITER LES PAPIERS AU PLUS VITE, MISS CREWE. À TRÈS BIENTÔT !

POURQUOI IL T'APPELLE MISS CREWE ? C'EST CAREW, TON NOM !

CHUT, TAIS-TOI RICHARD. TU N'Y CONNAIS RIEN.

EH BIEN C'EST TOUT SIMPLEMENT MERVEILLEUX !

À TRÈS BIENTÔT, MISTER CARMICHAEL.

DE TOUTE FAÇON, ON S'EN FICHE. MAMAN A DIT QU'ELLE TE METTAIT DEHORS À LA FIN DU MOIS, PARCE QUE T'ES TROP NULLE.

7

18

UNE CHANCE POUR VOUS QUE JE FUSSE PRÉSENT.

LA SITUATION S'EST EN EFFET DÉNOUÉE PLUS VITE, MAIS CROYEZ BIEN QUE NOUS AURIONS PU NOUS EN ARRANGER SEULES.

PERMETTEZ-MOI D'EN DOUTER. QUAND JE SUIS ARRIVÉ, VOTRE POSTURE ÉTAIT DES PLUS DÉLICATES.

JE SUIS DÉSOLÉE, JEUNE HOMME, MAIS LES DEMOISELLES DE BONNE FAMILLE QUE NOUS SOMMES NE PEUVENT FRÉQUENTER LES GARÇONS SANS CHAPERON.

ÇA N'EST PAS LA QUESTION, BECKY. TOI AUSSI, TU ES RESPECTABLE, ET CE FRELUQUET M'A AGACÉE.

JE PEUX PAS ÊTRE DE BONNE FAMILLE. J'AI PAS DE PARENTS !

MOI, JE LE TROUVAIS GENTIL. IL NOUS A AIDÉES, QUAND MÊME.

C'EST VRAI... TU AS RAISON, JE ME SUIS DRAPÉE DANS UNE DIGNITÉ RIDICULE.

QUELLE FIERTÉ !

C'EST DOMMAGE. NOUS N'AVONS PAS PU PARLER DE MARCO POLO.

...

MAIS AVANT... ON NE M'AURAIT JAMAIS SOUPÇONNÉE ET MALTRAITÉE DE LA SORTE.

CET HOMME QUI NOUS ACCUSAIT... IL M'A FAIT MAL AU BRAS.

MAIS C'EST PAS POSSIBLE D'ÊTRE AUSSI FAIGNASSES !

VOUS AVEZ FAIT LA SIESTE EN CHEMIN OU QUOI ?

EH BEN VOUS POURREZ VOUS ASSEOIR SUR LE BRUNCH !

ET AMÉLIA EST ENCORE TOMBÉE EN PANNE. MISS MINCHIN VEUT QUE TU AILLES LA RÉPARER, SARA.

18

20

JE L'AURAIS VOLONTIERS DÉPLACÉE, MAIS ELLE PÈSE SON POIDS.

C'EST LE PROPRE DES AUTOMATES.

CETTE INSOLENCE ! ENFIN, JE TE LAISSE TRANSFORMER MON BUREAU EN ATELIER POUR CETTE FOIS.

CEPENDANT, NE PERDS PAS DE VUE QUE CHAQUE TÂCHE D'HUILE TE VAUDRA UN COUP DE BAGUETTE SUR LES DOIGTS.

C'EST BIEN TROP COMPLEXE POUR MOI.

SOUS LE PRÉTEXTE QUE MON PÈRE POSSÉDAIT UNE USINE, ILS SONT TOUS CONVAINCUS QUE J'AI FAIT DES ÉTUDES D'HORLOGERIE !

ET UNE HEURE PLUS TARD...

AS-TU FINI ?

JE N'AI PAS ENCORE TROUVÉ D'OÙ VENAIT LA PANNE.

TU LE FAIS EXPRÈS.

TU SAIS COMBIEN AMÉLIA M'EST INDISPENSABLE. TU SAIS COMME J'AI BESOIN D'ELLE POUR RELAYER MES ORDRES ET ME SUPPLÉER ! ÇA T'AMUSE DE ME VOIR COURIR PARTOUT, C'EST ÇA ?

EH BIEN, TU NE MANGERAS PAS TANT QU'AMÉLIA NE SERA PAS RÉPARÉE. ÇA T'APPRENDRA.

CES PRIVATIONS SUCCESSIVES COMMENCENT À POSER PROBLÈME.

JE CROIS QUE JE VAIS MOURIR DE FAIM.

23

KRRRRAAA K

?

C'ÉTAIT UN RAT ?! EUURK ! COMMENT UNE JEUNE FILLE PEUT-ELLE VIVRE ICI ?

ÇA NE LA GÊNE PAS, SAHIB. ELLE N'EST PAS DU TOUT ORDINAIRE. JE L'OBSERVE SOUVENT DEPUIS LE TOIT.

CE RAT, ELLE L'A APPRIVOISÉ. ET LES MOINEAUX VIENNENT QUAND ELLE LES APPELLE.

IL Y A AUSSI DES DEMOISELLES DU PENSIONNAT QUI MONTENT LA VOIR ET L'ÉCOUTENT RACONTER DES HISTOIRES PENDANT DES HEURES.

LA DIRECTRICE, QUI EST UNE MAUVAISE FEMME, LA TRAITE COMME UNE SOUILLON, MAIS LA PETITE SE COMPORTE COMME UNE PRINCESSE DU SANG.

VOUS SEMBLEZ BIEN LA CONNAÎTRE... VOUS ÊTES SÛR QU'ELLE NE RENTRERA PAS TOUT DE SUITE ? IL NE FAUDRAIT PAS QUE LE PLAN DE MISTER CARRISFORD ÉCHOUE.

26

NE VOUS INQUIÉTEZ PAS, JE L'ENTENDRAI SI ELLE REMONTE. METTONS-NOUS AU TRAVAIL.

TSSS ! QUEL ENDROIT ! DRAPS DÉCHIRÉS, COUVERTURES RAPIÉCÉES... COMMENT PEUT-ON FAIRE DORMIR UNE JEUNE FILLE DANS UN ENDROIT PAREIL ?

QUANT À LA CHEMINÉE ! IL Y A LONGTEMPS QU'ON N'A PAS FAIT DE FEU DEDANS.

JE N'EN AI JAMAIS VU. LA PATRONNE N'EST PAS DU GENRE À PENSER QU'UNE AUTRE QU'ELLE PEUT AVOIR FROID.

MON ARRIÈRE-GRAND-PÈRE, THOMAS CREWE, TENAIT UNE PETITE BOUTIQUE D'HORLOGERIE DANS LES ENVIRONS DE CAMBRIDGE, SUR LES TERRES DU COMTE DE DORINCOURT.

IL LAISSAIT SON FILS – MON GRAND-PÈRE – S'AMUSER AUPRÈS DE LUI AVEC LES PIÈCES ABÎMÉES, QU'IL N'UTILISAIT PLUS.

TIENS, JOHN, TU PEUX PRENDRE CE RESSORT AUSSI.

UN JOUR, LE COMTE DE DORINCOURT AMENA UNE VIEILLE PENDULE FAMILIALE QU'IL SOUHAITAIT FAIRE RÉPARER POUR LORD FAUNTELROY, SON PETIT-FILS.

ÇA VOUS SEMBLE RÉALISABLE, THOMAS ?

TOUT À FAIT, MONSIEUR LE COMTE.

COMME LE COMTE NE VIENDRAIT CHERCHER SA PENDULE QUE DEUX SEMAINES PLUS TARD, MON ARRIÈRE-GRAND-PÈRE NE S'EN OCCUPA PAS TOUT DE SUITE.

MAIS PEU AVANT LE JOUR DIT, IL SE BLESSA LA MAIN EN AIDANT UN AMI.

ÉVIDEMMENT, QUAND LE COMTE REVINT, MON ARRIÈRE-GRAND-PÈRE N'AVAIT TOUJOURS PAS TOUCHÉ À LA PENDULE. CE QUI NE MANQUA PAS D'ÉNERVER SON PRESTIGIEUX CLIENT.

MAIS ALORS, MIDI SONNA, ET UN DRÔLE DE PETIT AUTOMATE JAILLIT DE LA PENDULE DU COMTE.

TING TING TING

NON SEULEMENT CETTE DERNIÈRE ÉTAIT RÉPARÉE, MAIS ELLE AVAIT ÉTÉ AMÉLIORÉE.

LE COMTE FUT ENCHANTÉ ET REPARTIT AVEC SA PENDULE. QUANT À MON ARRIÈRE-GRAND-PÈRE, IL REGARDA CURIEUSEMENT SON FILS.

DIS DONC, JOHN, TU N'AURAIS PAS QUELQUE CHOSE À ME RACONTER ?

29

31

ET MAINTENANT, ON VA FAIRE UN COCHON-TIRELIRE QUI VOLE !

PAR LA SUITE, LE COMTE COMMANDA DE NOMBREUX JOUETS MÉCANIQUES À THOMAS CREWE, QUI LES RÉALISA AVEC JOHN. CAR SI MON ARRIÈRE-GRAND-PÈRE DISPOSAIT DU SAVOIR-FAIRE, C'EST SON FILS QUI AVAIT LA FANTAISIE.

MAIS JOHN, MON GRAND-PÈRE, N'ÉTAIT PLUS UN PETIT GARÇON. AVEC L'AIDE DE SON PÈRE, IL COMMENÇA DONC À IMAGINER DES JOUETS POUR ADULTES. LES PREMIERS VÉRITABLES AUTOMATES CREWE ÉTAIENT NÉS.

LES JOUETS DE MES ANCÊTRES EURENT TANT DE SUCCÈS AUPRÈS DE LA NOBLESSE ANGLAISE, QU'UNE NOUVELLE BOUTIQUE VIT BIENTÔT LE JOUR À LONDRES.

ATTENTION, JE RACCORDE LES FILS !

LA REINE ELLE-MÊME S'ENTICHA RAPIDEMENT DE CES MÉCANIQUES À VISAGE HUMAIN. LA FORTUNE DES CREWE FUT AINSI FAITE.

PLUS TARD, MON PÈRE, LE CAPITAINE RALPH CREWE, VOULUT CONQUÉRIR DE NOUVELLES TERRES, POUR ÉTENDRE L'INDUSTRIE FAMILIALE.

C'EST AUX INDES QU'IL RENCONTRA L'INSPIRATION.

!?

CAPITAINE RALPH CREWE ? JE SUIS LA FILLE DE LORD CHASTELLER. VOS AUTOMATES ME PASSIONNENT ET J'AIMERAIS VOUS SOUMETTRE QUELQUES IDÉES.

MA MÈRE DÉVELOPPA UNE GÉNÉRATION D'AUTOMATES PLUS PERFECTIONNÉS QUE LES PRÉCÉDENTS, ET SURTOUT PLUS ESTHÉTIQUES.

ET NOUS POURRIONS MOULER DES VISAGES EN CIRE, ET UTILISER DU VERRE POUR LES YEUX. QU'EN DITES-VOUS ?

ÇA M'A L'AIR TOUT À FAIT FASCINANT.

UNE PÉRIODE DE FASTE S'ENSUIVIT ALORS POUR LA FAMILLE CREWE. MALHEUREUSEMENT, ÇA N'ALLAIT PAS DURER.

30

SUR LA ROUTE DES AIRS, LORSQUE L'ON VOYAGE EN DIRIGEABLE OU AUTRE MONTGOLFIÈRE, PARIS EST LA DERNIÈRE ESCALE AVANT LA CAPITALE ANGLAISE.

JE NE VOUDRAIS PAS ABUSER, MISTER CARMICHAEL, MAIS POUVONS-NOUS ACHETER UNE DERNIÈRE ROBE ?

C'EST ICI QU'ILS FONT LES PLUS BELLES DU MONDE ET JE VOUDRAIS FAIRE GRANDE IMPRESSION À MON TUTEUR QUAND JE LE RENCONTRERAI.

IL EST VRAI QUE VOUS CONNAISSEZ BIEN PARIS, MISS DOROTHY. MAIS JE SUIS SÛR QUE JE PUIS VOUS FAIRE DÉCOUVRIR UN COUTURIER DONT VOUS IGNOREZ LES TALENTS.

ENCORE UNE SURPRISE ?! DÉCIDÉMENT, J'AI DE LA CHANCE.

JE SUIS HEUREUX QUE VOUS SOUHAITIEZ TANT PLAIRE À VOTRE TUTEUR.

BIEN SÛR, MISTER CARRISFORD SERA DIFFÉRENT DE VOTRE PÈRE ET IL Y AURA DES MOMENTS DIFFICILES...

À CE SUJET, ÇA DÛ ÊTRE UN DÉCHIREMENT POUR VOUS QUE DE N'AVOIR PAS ENCORE PU VOUS RECUEILLIR SUR SA TOMBE.

OUI, MAIS GRÂCE À VOUS, J'AI L'ESPOIR DE POUVOIR M'Y RENDRE TRÈS BIENTÔT.

TOUT DE MÊME, QUEL REGRETTABLE ACCIDENT QUE CELUI QUI NOUS RAVIT VOTRE PÈRE...

MY LORD... POURVU QU'IL NE M'INTERROGE PAS À CE SUJET. J'IGNORE TOUT DE LA FAÇON DONT CET HOMME EST MORT.

LE CAPITAINE CREWE ÉTAIT UN REDOUTABLE CHASSEUR DE TIGRE.

HEU... CERTES.

36

MALHEUREUSEMENT, UN TEL GIBIER PEUT SE RÉVÉLER REDOUTABLE. ET CETTE FOIS-CI VOTRE PÈRE JOUA DE MALCHANCE...

AH. C'EST DONC AINSI QUE ÇA S'EST DÉROULÉ. TRÈS BIEN.

ON M'A RAPPORTÉ CET ACCIDENT. LES DÉTAILS ME DONNENT ENCORE DES CAUCHEMARS. MAIS EN Y RÉFLÉCHISSANT...

... VOUS SAVEZ, MON PÈRE ADMIRAIT RÉELLEMENT LES TIGRES. UN ANIMAL SI NOBLE ! DANS LE FOND, JE SUIS CERTAINE QU'IL A EU LA MORT DONT IL RÊVAIT.

UNE MORT DIGNE DE LUI.

41

À mon inestimable Soulbrother, et à la
carpe Koï la plus bariolée de la planète.
Nora Moretti

Merci Audrey et Nora pour vos
conseils et votre amitié.
Merci Luisa, Alessandra et
Katreen pour votre aide.
Mais surtout, merci à nos lecteurs et
lectrices : ce livre vous est dédié.
Claudia Boccato

Rejoins notre communauté sur Facebook

https://www.facebook.com/
princessesarabd

pour discuter avec les autrices,
connaître leurs dates de
dédicaces, voir des dessins
inédits et gagner des BD,
ex-libris et autres goodies !

soleilprod.com

Directrice de collection : Audrey Alwett

© ÉDITIONS SOLEIL / ALWETT / MORETTI

Soleil
44, rue Baudin – 83000 Toulon – France

Soleil Paris
8, rue Léon Jouhaux – 75010 Paris – France

Conception graphique : Studio Soleil

Dépôt légal : Avril 2011 – ISBN : 978-2-30201-524-1

*Tous droits de traduction, d'adaptation
et de reproduction strictement réservés pour tous pays.*

Achevé d'imprimer en janvier 2020
sur les presses de l'imprimerie PPO à Palaiseau, France.